这是我的书
It's MY BOOK
7级：400字

我们的家园

城市的生活

作者：秦志宁（Zhining Chin）
配图：秦志宁（Zhining Chin）

北京语言大学出版社
BEIJING LANGUAGE AND CULTURE UNIVERSITY PRESS

PHOENIX TREE
PHOENIX TREE PUBLISHING INC.

识读　医院　骑　餐馆　城市
饼　叔　炸　班

句型　是……
在……

字数　411字

yǒu nán bā suì zhù zài chéng shì tā de

友男八岁，住在城市。他的

bà ba zài yì jiā dà shāng chǎng gōng zuò mā ma shì

爸爸在一家大商场工作，妈妈是

yì jiā yī yuàn de hù shi tā men yì jiā rén zhù

一家医院的护士。他们一家人住

zài yí zuò èr shí sān céng gāo de dà lóu li

在一座二十三层高的大楼里。

yǒu nán jīn nián shàng èr nián jí xué xiào bù
友男今年上二年级。学校不

yuǎn tā kě yǐ qí zì xíng chē qù shàng xué yě
远，他可以骑自行车去上学，也

kě yǐ zǒu lù qù yǒu nán de bà ba zuò dì tiě
可以走路去。友男的爸爸坐地铁

qù shàng bān mā ma kāi chē qù shàng bān
去上班，妈妈开车去上班。

lǎo shī cháng dài xué shēng men qù dòng wù yuán
老师常带学生们去动物园、
tiān wén tái háng tiān zhōng xīn tā men yě huì qù
天文台、航天中心。他们也会去
yǎng lǎo yuàn wèi nà li de lǎo rén chàng gē gēn
养老院，为那里的老人唱歌，跟
tā men tán huà yì qǐ kàn diàn shì
他们谈话、一起看电视。

zhōu mò huò jié rì de shí hou bà ba mā
　　周末或节日的时候，爸爸妈
ma huì dài yǒu nán chū qu yǒu shí qù kàn zì rán
妈会带友男出去。有时去看自然
bó wù guǎn li de kǒng lóng yǒu shí qù kàn yì shù
博物馆里的恐龙，有时去看艺术
bó wù guǎn li de yóu huà wén wù hé gè zhǒng yì
博物馆里的油画、文物和各种艺
shù pǐn yǒu shí huì qù jù yuàn tīng yīn yuè kàn
术品，有时会去剧院听音乐、看
gē wǔ biǎo yǎn
歌舞表演。

yǒu nán guò shēng rì de shí hou， bà ba mā
友男过生日的时候，爸爸妈
ma huì dài tā qù yóu lè chǎng zuò guò shān chē，
妈会带他去游乐场坐过山车，
gěi tā mǎi dàn gāo， hái huì yì qǐ qù cān guǎn chī
给他买蛋糕，还会一起去餐馆吃
fàn。 tā men yǒu shí qù zhōng cān guǎn chī zhōng guó
饭。他们有时去中餐馆吃中国
cài， yǒu shí qù yì dà lì cān guǎn chī bǐ sà bǐng
菜，有时去意大利餐馆吃比萨饼
hé zhá jī。
和炸鸡。

dà jiē shang de chē hěn duō yǒu kǎ chē
大街上的车很多，有卡车、
qì chē kè chē zì xíng chē hái yǒu hěn duō xíng
汽车、客车、自行车，还有很多行
rén shí fēn rè nao kàn dào jiē shang lái lái wǎng
人，十分热闹。看到街上来来往
wǎng de chē hé rén yǒu nán hěn kāi xīn yǒu nán hái
往的车和人，友男很开心。友男还
xǐ huan zài bà ba gōng zuò de shāng chǎng li kàn nà xiē
喜欢在爸爸工作的商场里看那些
gāo gāo xìng xìng mǎi dōng xi de shū shu ā yí men
高高兴兴买东西的叔叔阿姨们。

guò jié shí jiē shang yǒu gè zhǒng huā huā lǜ
过节时，街上有各种花花绿

lǜ de guǎng gào shì zhōng xīn de dà guǎng chǎng zhōng
绿的广告。市中心的大广场中

jiān zhàn lì zhe yì kē yòu gāo yòu dà de sōng shù
间站立着一棵又高又大的松树，

shàng miàn guà zhe wǔ yán liù sè de dēng hěn duō rén
上面挂着五颜六色的灯，很多人

zài guǎng chǎng shang chàng gē
在广场上唱歌、

tiào wǔ yǒu nán hěn xǐ huan
跳舞。友男很喜欢

tā zhù de zhè ge chéng shì
他住的这个城市。

1 友男八岁，住在城市。他的爸爸在一家大商场工作，妈妈是一家医院的护士。他们一家人住在一座二十三层高的大楼里。

2 友男今年上二年级。学校不远，他可以骑自行车去上学，也可以走路去。友男的爸爸坐地铁去上班，妈妈开车去上班。

3 老师常带学生们去动物园、天文台、航天中心。他们也会去养老院，为那里的老人唱歌，跟他们谈话、一起看电视。

4 周末或节日的时候，爸爸妈妈会带友男出去。有时去看自然博物馆里的恐龙，有时去看艺术博物馆里的油画、文物和各种艺术品，有时会去剧院听音乐、看歌舞表演。

5 友男过生日的时候，爸爸妈妈会带他去游乐场坐过山车，给他买蛋糕，还会一起去餐馆吃饭。他们有时去中餐馆吃中国菜，有时去意大利餐馆吃比萨饼和炸鸡。

6 大街上的车很多，有卡车、汽车、客车、自行车，还有很多行人，十分热闹。看到街上来来往往的车和人，友男很开心。友男还喜欢在爸爸工作的商场里看那些高高兴兴买东西的叔叔阿姨们。

7 过节时，街上有各种花花绿绿的广告。市中心的大广场中间站立着一棵又高又大的松树，上面挂着五颜六色的灯，很多人在广场上唱歌、跳舞。友男很喜欢他住的这个城市。

1

2

3

4

5

6

看图讲故事

7
SEASONS GREETINGS